crêpes-party

fest ar c'hrampouezh

Yannick Le Corvec et Jean-François Silvente
Photographies de David Japy
Stylisme de Vania Leroy

PETITS PLATS MARABOUT

sommaire
taolenn

les bons ustensiles 4

4 recettes pour les galettes............................... 6

pâte à la farine de froment............................... 8

réalisation des galettes et des crêpes................ 10

trucs et astuces 12

GALETTES DE SARRASIN

ma première galette : œuf-jambon-fromage........ 14

la super complète 16

galette paysanne... 18

galette nordique 20

galette savoyarde 22

galette italienne 24

galette au miel et au chèvre frais 26

mini-galettes à l'andouille 28

galette du Sud-Ouest 30

galette de Noël 32

galette indienne 34

gâteau de galettes crabe-guacamole 36

faire des petits roulés 38

9 idées de p'tits roulés salés.............................. 40

blinis pour changer.. 42

CRÊPES DE FROMENT

crêpe-party sucrée.. 44

crêpe pommes-caramel au beurre salé 46

crêpe des Rois aux poires 48

crêpe Nutella-caramel au beurre salé 50

crêpe banane-chocolat 52

crêpe tiramisu... 54

crêpe pomme-pommé 56

crêpe rhum-orange-chocolat 58

crêpe Suzette.. 60

crêpe aux fruits rouges..................................... 62

crêpe pain d'épices-abricots 64

gâteau de crêpes poires-chocolat...................... 66

9 idées de p'tits roulés sucrés 68

pancakes pour changer.................................... 70

les bons ustensiles
an armoù-kegin dereat

GALETTOIRE
Connu aussi sous les noms de crêpière, tuile, billig, galetière, pierre ou pillig.
Quel que soit son nom, il s'agit toujours d'une grande plaque circulaire en tôle martelée, emboutie ou en fonte épaisse. Elle doit être graissée régulièrement avec de l'huile.

ROZELL
Attention, à utiliser pour le galettoire uniquement !
C'est une simple raclette en bois dur, très lisse. Grâce à cet ustensile, la pâte est répartie régulièrement et uniformément sur le galettoire.

POÊLE À CRÊPES
À défaut de galettoire, vous pouvez utiliser une poêle pour réaliser vos crêpes. Les poêles antiadhésives sont vivement conseillées aux débutants.

CUL-DE-POULE OU SALADIER
Vous en aurez besoin pour réaliser votre pâte à crêpes.

FOUET
Il vous permettra d'obtenir une pâte bien lisse.
Vous pouvez aussi utiliser une cuillère en bois.

LOUCHE (SI POSSIBLE N° 8)
Pour doser exactement la pâte à utiliser afin de bien recouvrir la poêle ou le galettoire.

SPATULE (EN BOIS OU EN INOX)
Indispensable pour plier et retourner crêpes, galettes, blinis…

PINCEAU ALIMENTAIRE
Très pratique pour beurrer vos galettes et vos crêpes pendant leur cuisson.

4 recettes pour les galettes
4 rekipe galetez

« Il y a en Bretagne autant de recettes de pâte à crêpes que de clochers. »
C'est juste, car, en mélangeant tous les ingrédients de base dans des proportions différentes,
on obtient différentes recettes de pâtes. Une bonne galette commence avant tout
par une bonne pâte.

1 - recette de base <small>(POUR 30 GALETTES ENVIRON)</small>

Verser **1 kg de farine de sarrasin** dans un saladier
et former un puits ; au centre de celui-ci, ajouter
**2 c. à s. de gros sel de Guérande, 1 pincée de
poivre** et **1 œuf**. Verser peu à peu **2 l d'eau** tout
en délayant à l'aide d'une cuillère en bois ou d'un
fouet, jusqu'à obtenir une pâte lisse et onctueuse.
Recouvrir le saladier d'un film alimentaire
et laisser reposer de préférence 24 heures
au réfrigérateur.

2 - recette au miel <small>(POUR 30 GALETTES ENVIRON)</small>

Verser **1 kg de farine de sarrasin** dans un saladier
et former un puits ; au centre de celui-ci, ajouter
80 g de crème fraîche, 8 œufs et **4 c. à s. de miel
liquide**. Verser peu à peu **2 l d'eau** tout
en délayant à l'aide d'une cuillère en bois
ou d'un fouet, jusqu'à obtenir une pâte lisse
et onctueuse.
Recouvrir le saladier d'un film alimentaire
et laisser reposer de préférence 24 heures
au réfrigérateur.

3 - recette au cidre <small>(POUR 30 GALETTES ENVIRON)</small>

Verser **1 kg de farine de sarrasin** dans un saladier
et former un puits ; au centre de celui-ci, ajouter
40 g de gros sel de Guérande, 4 œufs et **200 g
de beurre fondu**. Verser peu à peu **1,4 l d'eau**,
puis **60 cl de cidre brut** tout en délayant à l'aide
d'une cuillère en bois ou d'un fouet, jusqu'à
obtention d'une pâte lisse et onctueuse.
Recouvrir le saladier d'un film alimentaire
et laisser reposer de préférence 24 heures
au réfrigérateur.

4 - recette au lait <small>(POUR 30 GALETTES ENVIRON)</small>

Verser **1 kg de farine de sarrasin** dans un saladier
et former un puits ; au centre de celui-ci, ajouter
2 c. à s. de gros sel de Guérande, 2 c. à s. d'huile
et **1 œuf**. Verser peu à peu **1 l d'eau**, puis **1 l de lait**
tout en délayant à l'aide d'une cuillère en bois
ou d'un fouet, jusqu'à obtenir une pâte lisse
et onctueuse.
Recouvrir le saladier d'un film alimentaire
et laisser reposer de préférence 24 heures
au réfrigérateur.

1

3

2

4

pâte à la farine de froment
toaz gwinizh

1 kg de farine de froment
300 g de sucre semoule
50 g de beurre demi-sel fondu
8 œufs
20 g de sel (une pincée)
2 l de lait entier

1. Mettre la farine, le sucre semoule et le sel dans un saladier. Mélanger le tout à la main ou à l'aide d'une cuillère en bois.

2. Faire un puits dans la pâte et déposer les 8 œufs et 10 cl de lait. Mélanger le tout avec un fouet (en partant du centre afin d'obtenir une pâte sans grumeaux) et ajouter progressivement ½ l de lait.

3. Dès que la pâte est homogène (toujours épaisse), incorporer le beurre fondu (il faut qu'il soit de couleur noisette). Ajouter le lait restant et remuer au fouet pour obtenir une pâte bien fluide. Si nécessaire, passer la pâte au chinois pour éliminer les éventuels grumeaux et coquille d'œuf.

4. Recouvrir le saladier d'un film alimentaire et laisser reposer au moins 1 heure au réfrigérateur.

5. La cuisson des crêpes s'effectue comme celle des galettes.

Vous pouvez aussi réaliser cette pâte sans sucre pour les spécialités salées.

réalisation des galettes et des crêpes
fardañ galetez ha krampouezh

Préchauffer le galettoire à 250 °C ou la poêle sur feu vif.
Faire fondre au micro-ondes ou au four traditionnel 100 g de beurre dans un bol. Réaliser
un « tampon » en froissant un grand morceau de papier absorbant. Tremper légèrement le tampon
dans le bol de beurre fondu pour graisser le galettoire ou la poêle. Bien remuer la pâte avec un fouet
ou avec une louche afin qu'elle soit homogène.

DANS LA POÊLE

1. Verser une louche de pâte dans la poêle
(il faut bien repérer la dose précise pour
recouvrir le fond).

2. Répartir la pâte en agitant la poêle à l'aide
du manche.

3. Tremper le pinceau dans le beurre fondu
et en badigeonner la galette. Laisser cuire
2 minutes environ.

4. Retourner la crêpe à l'aide d'une spatule
ou en la faisant sauter pour cuire l'autre côté.

AVEC LE GALETTOIRE

1. Déposer une louche de pâte en haut et
à gauche de la plaque (il faut bien repérer
la dose précise pour recouvrir le galettoire).

2. Étaler la pâte à l'aide du rozell en faisant
des petits gestes circulaires dans le sens des
aiguilles d'une montre.

3. Tremper le pinceau dans le beurre fondu
et en badigeonner la galette. Laisser cuire
2 minutes environ.

4. Retourner la galette à l'aide d'une spatule
pour cuire l'autre côté.

trucs et astuces
alioù ïjïnus

JE RÉUSSIS MES GALETTES
Pour faciliter votre travail et obtenir de belles galettes, voici quelques bonnes habitudes à prendre. Spatule en main, apprenons à garnir !
À ÉVITER : ne pas tasser les ingrédients au centre de la galette. Ils seront plus longs à chauffer. Vous risquez ainsi de trop cuire sur les parties non garnies et d'avoir des difficultés pour décoller la galette, le poids de la garniture étant mal réparti.
À FAIRE : la surface entière de la galette doit être recouverte par les différents ingrédients qui chauffent ainsi plus rapidement. Vous obtenez alors une meilleure présentation et une dégustation plus agréable.

JE CUSTOMISE MES GALETTES
• cidre (50 cl) – supprimer 50 cl d'eau de la recette de base – pour obtenir des galettes plus colorées et parfumées ;
• miel liquide – ajouter 1 c. à s. pour obtenir des galettes plus colorées ;
• lait Ribot (50 cl) – supprimer 50 cl d'eau de la recette de base – permet de réduire le temps de repos de la pâte (2 h de repos suffisent).

JE RÉUSSIS MES CRÊPES
Pour que les crêpes restent moelleuses à mesure qu'on les fait, il suffit de mettre l'assiette sur une casserole d'eau chaude et de les recouvrir d'un saladier.

Pour faire des crêpes bien fines, le truc c'est d'utiliser une pâte bien fluide, d'en verser une louche dans la poêle, d'en enduire toute la surface et d'en rejeter l'excédent dans le saladier de pâte crue.

JE CUSTOMISE MES CRÊPES SUCRÉES
• farine de châtaigne (100 g) – supprimer 100 g de farine de froment de la recette de base – pour obtenir un goût différent ;
• bière ou cidre (50 cl) – supprimer 50 cl de lait entier de la recette de base – pour obtenir des crêpes plus légères ;
• beurre fondu ou crème fraîche – ajouter 200 g au maximum – pour obtenir des crêpes plus moelleuses, mais aussi plus riches ;
• huile – ajouter 1 à 2 c. à s. – permet de les étaler plus facilement ;
• œufs supplémentaires (12 au maximum) ;
• épices : vanille (en sucre, en concentré ou en gousse), cannelle (en poudre) ;
• arômes : fleur d'oranger, alcool (rhum, calvados…).

ma première galette : œuf-jambon-fromage

ma galetezenn gentañ : vi – morzhed-hoc'h – keuz

POUR LA GALETTE DE SARRASIN
voir recette de base page 6

POUR LA GARNITURE
1 œuf, gros calibre de préférence
50 g d'emmental râpé
1 tranche de jambon blanc au torchon
coupée en quatre
du beurre fondu pour la poêle

1. Réaliser une galette de sarrasin en vous reportant à la recette de base. Beurrer la galette à l'aide d'un pinceau.

2. Casser l'œuf au milieu de la galette et bien étaler le blanc pour une meilleure cuisson. Parsemer d'emmental râpé et disposer les morceaux de jambon autour du jaune.

3. Lorsque l'œuf est cuit, réaliser un pliage simple « en enveloppe » : replier chaque bord de la galette vers le centre, de sorte que le jaune d'œuf reste apparent.

4. Servir aussitôt.

Les garnitures simples sont essentiellement : le jambon blanc, la poitrine fumée cuite, les lardons, le bacon, les tomates, l'andouille, les saucisses, le saumon fumé, les œufs, les noix, le fromage : emmental râpé, comté râpé, chèvre, roquefort ou bleu d'Auvergne, et toutes sortes d'herbes...
À vous de jouer !

la super complète
an tri zra hag ouzhpenn

POUR LA GALETTE DE SARRASIN
voir recette de base page 6

POUR LA GARNITURE
3 c. à s. de tomates pelées concassées
1 c. à s. d'huile d'olive
1 pincée d'ail frais pressé
1 pincée d'origan
1 pincée de basilic frais ciselé
1 pincée de sucre
1 œuf, gros calibre de préférence
50 g d'emmental râpé
1 tranche de jambon blanc au torchon
coupée en quatre
50 g de champignons de Paris revenus
dans un peu de beurre
du beurre fondu
sel, poivre

1. Faire chauffer l'huile dans une poêle. Faire revenir l'ail, puis ajouter les tomates pelées, l'origan, le basilic et le sucre. Laisser réduire pendant 5 minutes. Assaisonner. Réserver.

2. Réaliser une galette de sarrasin en vous reportant à la recette de base. Beurrer la galette à l'aide d'un pinceau.

3. Casser l'œuf au milieu de la galette et bien étaler le blanc pour une meilleure cuisson. Parsemer d'emmental râpé et disposer les morceaux de jambon autour du jaune, puis ajouter les champignons et les tomates cuisinées.

4. Lorsque l'œuf est cuit, réaliser un pliage simple « en enveloppe » : replier chaque bord de la galette vers le centre, de sorte que le jaune d'œuf reste apparent.

5. Servir aussitôt.

galette paysanne
galetezenn ar maezioù

POUR LA GALETTE DE SARRASIN
voir recette de base page 6

POUR LA GARNITURE
1 œuf, gros calibre de préférence
50 g de lardons fumés
50 g de champignons de Paris revenus
dans un peu de beurre
2 c. à s. de crème fraîche épaisse
1 pincée de persil plat haché

1. Faire revenir les lardons fumés dans une poêle antiadhésive sans ajouter de graisse.

2. Réaliser une galette de sarrasin en vous reportant à la recette de base. Une fois cuite des deux côtés, beurrer la galette à l'aide d'un pinceau.

3. Casser l'œuf au milieu de la galette et bien étaler le blanc pour une meilleure cuisson. Parsemer les lardons et les champignons autour du jaune, puis étaler la crème fraîche.

4. Lorsque l'œuf est cuit, réaliser un pliage simple « en enveloppe » : replier chaque bord de la galette vers le centre, de sorte que le jaune d'œuf reste apparent.

5. Parsemer de persil et servir aussitôt.

galette nordique
galetezenn an norzh

POUR LA GALETTE DE SARRASIN
voir recette de base page 6

POUR LA GARNITURE
2 belles tranches de saumon fumé
2 c. à s. de crème fraîche épaisse
3 pincées de ciboulette finement coupée
3 pincées de baies roses
½ citron jaune

1. Réaliser 3 galettes de sarrasin en vous reportant à la recette de base. Une fois cuites des deux côtés, beurrer les galettes à l'aide d'un pinceau. Plier les galettes « en enveloppe » : replier chaque bord de la galette vers le centre et les plier à nouveau en deux pour obtenir un rectangle.

2. Couper les tranches de saumon fumé en lamelles. Disposer les lamelles sur les galettes et parsemer la ciboulette et les baies roses sur le saumon.

3. Dans un coin de la galette, disposer la crème fraîche épaisse. Servir avec du citron.

galette savoyarde
galetezenn giz Savoia

POUR LA GALETTE DE SARRASIN
voir recette de base page 6

POUR LA GARNITURE
1 tranche de jambon blanc au torchon
1 belle tranche fine de jambon de pays
coupée en trois
2 tranches de fromage à raclette
50 g de pommes de terre sautées
ou rissolées surgelées
1 pincée de ciboulette finement ciselée
1 c. à s. d'huile

1. Faire revenir les pommes de terre dans un peu d'huile jusqu'à obtenir une belle couleur dorée.

2. Réaliser une galette de sarrasin en vous reportant à la recette de base. Une fois cuite des deux côtés, beurrer la galette à l'aide d'un pinceau.

3. Disposer au milieu de la galette les tranches de raclette et le jambon blanc. Parsemer de pommes de terre sautées ou rissolées.

4. Lorsque le fromage à raclette est cuit, réaliser un pliage simple « en enveloppe » : replier chaque bord de la galette vers le centre, de sorte que le milieu soit apparent.

5. Disposer les lamelles de jambon de pays dessus et saupoudrer de ciboulette. Servir aussitôt.

Vous pouvez aussi utiliser des pommes de terre cuites à la vapeur.

galette italienne
galetezenn giz Italia

POUR LA GALETTE DE SARRASIN
voir recette de base page 6

POUR LA GARNITURE
1 belle tranche fine de jambon de Parme
ou de pays, coupée en trois
3 tranches de mozzarella
1 c. à s. de tapenade
6 petites tomates confites
du basilic finement ciselé

1. Réaliser une galette de sarrasin en vous reportant à la recette de base. Une fois cuite des deux côtés, beurrer la galette à l'aide d'un pinceau.

2. Étaler la tapenade sur le maximum de surface de la galette.

3. Replier la galette en triangle.

4. Disposer une première tranche de mozzarella sur la galette encore chaude, pour qu'elle fonde.

5. Disposer les lamelles de jambon de Parme, en les intercalant avec les tranches de mozzarella restantes, et enfin les tomates confites. Saupoudrer de basilic.

6. Servir aussitôt.

Pour un apéritif, vous pouvez réaliser plusieurs crêpes sur ce modèle et les disposer comme des parts de pizza (voir photo ci-contre).

galette au miel et au chèvre frais
galetezenn mel ha keuz gavr fresk

POUR LA GALETTE DE SARRASIN
voir recette de base page 6

POUR LA GARNITURE
50 g de fromage de chèvre frais
1 c. à s. de tapenade
1 c. à c. de romarin frais
6 fines tranches de pomme type golden
2 c. à s. de miel liquide
6 cerneaux de noix

1. Réaliser une galette de sarrasin en vous reportant à la recette de base. Une fois cuite des deux côtés, beurrer la galette à l'aide d'un pinceau.

2. Étaler la tapenade sur le maximum de surface de galette. Parsemer le fromage de chèvre frais et le romarin.

3. Replier la galette en triangle. Disposer les tranches de pomme et les cerneaux de noix sur la galette pliée.

4. Arroser de miel liquide et servir aussitôt.

mini-galettes à l'andouille
galetezennoüigoù anduilh

POUR LES MINI-GALETTES DE SARRASIN
voir recette de base page 6

POUR LA GARNITURE
6 c. à s. de crème fraîche
3 c. à s. de moutarde à l'ancienne
12 c. à c. de fromage râpé
12 tranches d'andouille de Guémené

1. Mélanger la crème fraîche et la moutarde à l'ancienne.

2. Réaliser douze galettes de sarrasin de 8 cm de diamètre environ en vous reportant à la recette de base.

3. Parsemer le fromage râpé sur les galettes, puis étaler un peu de crème fraîche moutardée. Déposer une tranche d'andouille sur chaque galette.

4. Laisser cuire quelques minutes jusqu'à ce que l'andouille prenne une forme conique (c'est possible uniquement avec l'andouille de Guémené).

5. Servir aussitôt.

galette du Sud-Ouest
galetezenn ar Mervent

POUR LA GALETTE DE SARRASIN
voir recette de base page 6

POUR LA GARNITURE
100 g de confit de canard émincé
50 g de pommes de terre sautées surgelées
1 c. à s. de pommé de Bazouges
1 pincée de persil plat haché
1 c. à s. d'huile

1. Faire revenir les pommes de terre dans un peu d'huile jusqu'à obtenir une belle couleur dorée.

2. Réaliser une galette de sarrasin en vous reportant à la recette de base. Une fois cuite des deux côtés, beurrer la galette à l'aide d'un pinceau.

3. Étaler le confit de canard émincé et les pommes de terre sur le maximum de surface de galette. Parsemer le pommé de Bazouges.

4. Plier la galette en deux.

5. Saupoudrer de persil et servir aussitôt.

*Le pommé de Bazouges, spécialité bretonne,
est une confiture à base de pommes et de cidre.
Si vous n'en trouvez pas, utilisez de la crème de pruneau
délayée dans un peu de cidre brut.*

galette de Noël
galetezenn Nedeleg

POUR LA GALETTE DE SARRASIN
voir recette de base page 6

POUR LA GARNITURE
3 tranches de foie gras de canard
ou de foie gras d'oie
1 poire fraîche ou en conserve
selon la saison
3 c. à s. de porto
1 oignon
2 c. à s. de raisins secs déshydratés
30 g de beurre

1. Éplucher et couper les poires en quartiers. Les faire revenir à la poêle dans du beurre jusqu'à ce que les morceaux prennent une jolie couleur dorée. Ajoutez le porto et laissez cuire quelques minutes, le temps d'imbiber les poires.

2. Éplucher et émincer l'oignon, le faire revenir dans du beurre à feu doux jusqu'à obtenir une jolie couleur dorée. Ajouter les raisins secs déshydratés.

3. Réaliser une galette de sarrasin en vous reportant à la recette de base. Une fois cuite des deux côtés, beurrer la galette à l'aide d'un pinceau.

4. Plier la galette « en enveloppe » : replier chaque bord de la galette vers le centre, de sorte que le milieu soit apparent. Disposer les tranches de foie gras et les poires rissolées au porto. Tartiner de confit d'oignon.

5. Servir aussitôt.

galette indienne
galetezenn giz India

POUR LA GALETTE DE SARRASIN
voir recette de base page 6

POUR LA GARNITURE
50 g de blanc de poulet émincé et cuit
dans du beurre demi-sel
50 g d'emmental râpé
50 g de champignons de Paris
2 c. à s. d'oignons
50 cl de crème fraîche épaisse
1 c. à s. de poudre tandoori
1 pincée de persil plat haché

1. Mélanger le poulet cuit, la crème fraîche et la poudre tandoori. Réserver.

2. Faire revenir les oignons dans un peu de beurre demi-sel.

3. Poêler les champignons dans un peu de beurre demi-sel.

4. Réaliser une galette de sarrasin en vous reportant à la recette de base. Une fois cuite des deux côtés, beurrer la galette à l'aide d'un pinceau.

5. Disposer l'emmental râpé, puis le mélange de poulet tandoori, les champignons et les oignons.

6. Réaliser un pliage simple en triangle.

7. Saupoudrer de persil et servir aussitôt.

gâteau de galettes crabe-guacamole
gwastell galetez kranked – avoukez

POUR LES GALETTES DE SARRASIN
voir recette de base page 6

POUR LA GARNITURE
300 g de guacamole
400 g de miettes de crabe

1. Réaliser 10 galettes de sarrasin (pas trop fines) en vous reportant à la recette de base. Une fois cuites des deux côtés, beurrer les galettes à l'aide d'un pinceau et les réserver sur une assiette en attente de montage.

2. Poser une galette sur le plat de service et étaler une couche de crabe émietté de 0,5 centimètre d'épaisseur environ. Recouvrir d'une autre galette et tartiner une couche de guacamole
de même épaiseur.

3. Poursuivre avec les autres galettes, en alternant une couche de crabe et une couche de guacamole.

4. Terminer en posant la dernière galette. Laisser reposer au frais.

Vous pouvez imaginer toutes sortes de gâteaux de galettes pour vos apéritifs entre amis. Soyez inventifs !

faire des petits roulés
ober rolladoù bihan

POUR LES GALETTES DE SARRASIN
voir recette de base page 6

POUR LA GARNITURE
1 botte de ciboulette ciselée
200 g de fromage frais

1. Réaliser 4 galettes de sarrasin en vous reportant à la recette de base. Une fois cuite des deux côtés, beurrer les galettes à l'aide d'un pinceau et les réserver sur une assiette en attente de montage.

2. Poser une galette sur une planche et étaler une fine couche de fromage frais. Saupoudrer de ciboulette ciselée.

3. Rouler la galette assez serrée.

4. La découper en tranches de 2 centimètres environ. Maintenir le morceau roulé avec une pique à cocktail en bois.

5. Mettre au réfrigérateur pendant 30 minutes et servir.

9 idées de p'tits roulés salés
9 seurt rolladoù bihan sall

Réaliser 4 galettes de sarrasin en vous reportant à la recette de base.
Une fois cuites des deux côtés, beurrer les galettes à l'aide d'un pinceau
et les réserver sur une assiette en attente de montage.
Poser une galette sur une planche, tartiner, rouler et piquer tout ce que vous voulez…

GUACAMOLE-TOMATES CERISES
200 g de guacamole
32 tomates cerises
Étaler une fine couche de
guacamole sur chaque galette.
Piquer des tomates cerises.

CONFIT D'OIGNON-ANCHOIS
200 g de confit d'oignon
32 anchois
Étaler une fine couche de confit
d'oignon sur chaque galette.
Piquer des anchois.

TOMATES CUISINÉES-TOMATES CERISES
200 g de tomates cuisinées (voir page 16)
32 tomates cerise
Étaler une fine couche de
tomates cuisinées sur chaque
galette. Piquer des tomates
cerises.

FROMAGE FRAIS-JAMBON BLANC-
EMMENTAL
200 g de fromage frais
4 tranches de jambon blanc
250 g d'emmental
Étaler une fine couche
de fromage frais sur chaque
galette. Poser une tranche
de jambon blanc. Piquer
des cubes d'emmental.

TARAMA-CREVETTES
200 g de tarama
32 crevettes décortiquées
Étaler une fine couche
de tarama sur chaque galette.
Piquer des crevettes.

FROMAGE À L'AIL ET AUX FINES HERBES
200 g de fromage à l'ail
et aux fines herbes
Étaler une fine couche
de fromage à l'ail et aux fines
herbes sur chaque galette.

TAPENADE-TOMATES CERISES
200 g de tapenade
32 tomates cerises
Étaler une fine couche de
tapenade sur chaque galette.
Piquer des tomates cerises.

TZAZIKI-CONCOMBRE
200 g de tzaziki
32 cubes de concombre
Étaler une fine couche
de tzaziki sur chaque galette.
Piquer des cubes
de concombre.

COULIS DE TOMATE-BASILIC
200 g de coulis de tomate
1 bouquet de basilic frais ciselé
Étaler une fine couche de
coulis de tomate sur chaque
galette. Saupoudrer de basilic.

blinis pour changer
blini evit cheñch

POUR LES BLINIS NATURE
250 g de farine de froment
1 sachet de levure de boulanger
80 cl de lait
4 œufs
4 c. à s. de crème fraîche
ou de crème liquide
1 pincée de sel
1 pincée de poivre
30 g de beurre

POUR LA GARNITURE
1 poignée de fromage râpé
ou 1 poignée d'herbes fraîches
finement ciselées
ou des petits morceaux de chorizo

1. Mélanger la farine, la levure, le sel et le poivre dans un saladier et y creuser un puits.

2. Dans un autre récipient, mélanger les jaunes d'œufs (réserver les blancs), le lait et la crème fraîche en fouettant légèrement.

3. Verser ce mélange au centre du saladier contenant les ingrédients secs en mélangeant doucement.

4. Couvrir d'un film alimentaire et laisser reposer au moins 1 heure dans un endroit chaud, à l'abri des courants d'air.

5. Monter les blancs en neige assez souple et les incorporer délicatement à la préparation. Laisser reposer à nouveau ½ heure.

6. Faire fondre un peu de beurre dans une poêle de petit diamètre et verser doucement une louche de pâte sur 2 centimètres d'épaisseur environ. Laisser cuire à feu doux quelques minutes.

7. Déposer une des garnitures (fromage râpé, petits morceaux de chorizo, herbes fraîches finement ciselées).

8. Lorsque la surface du blini est sèche, retourner le blini à l'aide d'une spatule et cuire de l'autre côté.

crêpe-party sucrée
fest ar c'hrampouezh dous

POUR LA CRÊPE SUCRÉE
voir recette de base page 8

GARNITURES POSSIBLES SANS PRÉPARATION
- sucre
- confiture, miel
- Nutella
- pralins concassés
- noix (entières ou concassées)
- crème de calissons d'Aix ou frangipane
- crème de marron
- crème Chantilly
- pommé de Bazouges ou équivalent
(crème de pruneau mélangée
à un peu de cidre brut)

PETITES IDÉES DEMANDANT TRÈS PEU DE PRÉPARATION
chocolat fondu
Casser en morceaux une tablette de chocolat noir à dessert dans
une casserole et faire fondre au bain-marie. Ajouter, selon les goûts,
2 c. à s. de crème fraîche.

caramel au beurre salé
Faire fondre 250 g de sucre semoule avec 1 c. à s. d'eau dans une
casserole à feu doux jusqu'à obtenir un caramel liquide. Incorporer
200 g de beurre demi-sel et remuer jusqu'à ce que le mélange soit
homogène. Hors du feu, ajouter 25 cl de crème fraîche liquide
et remuer.

crème de mascarpone
Casser 4 œufs en séparant les blancs des jaunes. Mélanger le jaune
à 2 c. à s. de sucre semoule et 250 g de mascarpone. Monter
les blancs en neige et les incorporer au mélange précédent.
Lier doucement le tout.

crêpe pommes-caramel au beurre salé
krampouezh avaloù ha karamel gant amann sall

POUR LA CRÊPE SUCRÉE
voir recette de base page 8

POUR LA GARNITURE
½ pomme type golden
3 c. à s. de caramel au beurre salé
(voir page 44)
1 boule de glace vanille ou caramel
une poignée de pralins
30 g de beurre salé

1. Faire un caramel au beurre salé (voir p. 44).

2. Réaliser une crêpe sucrée en vous reportant à la recette de base. Une fois cuite des deux côtés, beurrer la crêpe à l'aide d'un pinceau.

3. Plier la crêpe en deux.

4. Éplucher et couper les pommes en quartiers. Les faire revenir à la poêle dans du beurre jusqu'à ce que les morceaux prennent une jolie couleur dorée.

5. Étaler le caramel au beurre salé sur la crêpe pliée et poser des quartiers de pommes.

6. Replier la crêpe pour former un triangle.

7. Ajouter une boule de glace à la vanille ou au caramel et saupoudrer de pralins. Servir aussitôt.

On peut remplacer les pommes par des poires fraîches ou par des poires au sirop après les avoir égouttées.

crêpe des Rois aux poires
krampouezh ar rouaned gant per

POUR LA CRÊPE SUCRÉE
voir recette de base page 8

POUR LA GARNITURE
50 g d'amandes râpées
50 g de sucre semoule
50 g de beurre
1 œuf
1 c. à c. de rhum
½ poire
3 c. à s. de chocolat fondu
(voir page 44)
de la crème Chantilly
30 g de beurre

1. Pour réaliser la frangipane, mélanger les amandes râpées, le sucre, 50 g de beurre, l'œuf et le rhum à l'aide d'un fouet. Réserver.

2. Réaliser une crêpe sucrée en vous reportant à la recette de base. Une fois cuite des deux côtés, beurrer la crêpe à l'aide d'un pinceau.

3. Plier la crêpe en deux.

4. Éplucher et couper en quartiers la poire. Les faire revenir à la poêle dans du beurre jusqu'à ce que les morceaux prennent une jolie couleur dorée.

5. Étaler la frangipane sur la demi-crêpe et déposer les quartiers de poires.

6. Replier la crêpe pour former un triangle.

7. Ajouter de la crème Chantilly et saupoudrer de pralins. Servir aussitôt.

Vous pouvez remplacer la frangipane par de la crème de calisson, si vous en trouvez.

crêpe Nutella-caramel au beurre salé
krampouezh Nutella – karamel gant amann sall

POUR LA CRÊPE SUCRÉE
voir recette de base page 8

POUR LA GARNITURE
3 c. à s. de Nutella
3 c. à s. de caramel au beurre salé
(voir page 44)
une poignée de pralins

1. Faire un caramel au beurre salé (voir recette p. 44).

2. Réaliser une crêpe sucrée en vous reportant à la recette de base. Une fois cuite des deux côtés, beurrer la crêpe à l'aide d'un pinceau.

3. Plier la crêpe en deux.

4. Étaler le Nutella sur une moitié, puis, par-dessus, le caramel au beurre salé. Recouvrir l'autre moitié de la crêpe et saupoudrer de pralins.

crêpe banane-chocolat
krampouezh bananez – chokolad

POUR LA CRÊPE SUCRÉE
voir recette de base page 8

POUR LA GARNITURE
1 banane
3 c. à s. de chocolat fondu
(voir page 44)

1. Préparer le chocolat fondu (voir page 44).

2. Réaliser une crêpe sucrée en vous reportant à la recette de base. Une fois cuite des deux côtés, beurrer la crêpe à l'aide d'un pinceau.

3. Plier la crêpe en deux.

4. Disposer des rondelles de banane sur une moitié de la crêpe, puis recouvrir l'autre moitié et tartiner de chocolat fondu.

Si vous le souhaitez, vous pouvez faire chauffer 5 cl de rhum dans une petite casserole pendant quelques secondes, puis le renverser sur la crêpe pour la faire flamber.

crêpe tiramisu
crampouezh tiramisu

POUR LA CRÊPE SUCRÉE
voir recette de base page 8

POUR LA GARNITURE
5 c. à s. de crème de mascarpone
(voir page 44)
4 biscuits boudoirs
1 café fort
2 c. à s. d'amaretto
du chocolat noir amer en poudre

1. Préparer un café fort et y incorporer l'amaretto. Tremper très légèrement les boudoirs dans la préparation, puis les émietter dans un bol.

2. Réaliser une crêpe sucrée en vous reportant à la recette de base. Une fois cuite des deux côtés, beurrer la crêpe à l'aide d'un pinceau.

3. Plier la crêpe en deux.

4. La tartiner de crème de mascarpone, puis, par-dessus, saupoudrer de boudoirs au café et amaretto émiettés.

5. Saupoudrer légèrement de chocolat noir en poudre, recouvrir l'autre moitié de la crêpe et saupoudrer à nouveau, de chocolat noir en poudre.

On peut également ajouter une fine couche de morceaux de poire ou des framboises sur le dessus pour la décoration et le goût.

crêpe pomme-pommé
krampouezh avaloù – avalegenn

POUR LA CRÊPE SUCRÉE
voir recette de base page 8

POUR LA GARNITURE
3 c. à s. de pommé de Bazouges
½ pomme
une poignée de noix
1 boule de glace vanille
30 g de beurre demi-sel

1. Réaliser une crêpe sucrée en vous reportant à la recette de base. Une fois cuite des deux côtés, beurrer la crêpe à l'aide d'un pinceau.

2. Plier la crêpe en deux.

3. La tartiner de pommé de Bazouges.

4. Éplucher et couper les pommes en quartiers. Les faire revenir à la poêle dans du beurre jusqu'à ce que les morceaux prennent une jolie couleur dorée.

5. Disposer une couche de pommes sur la crêpe, recouvrir avec l'autre moitié et saupoudrer de morceaux de noix.

6. Pour finir, ajouter une boule de glace à la vanille.

Le pommé de Bazouges, spécialité bretonne, est une confiture à base de pommes et de cidre. Si vous n'en trouvez pas, vous pouvez utiliser de la crème de pruneau délayée dans un peu de cidre brut. a

crêpe rhum-orange-chocolat
krampouezh rom–orañjez–chokolad

POUR LA CRÊPE SUCRÉE
voir recette de base page 8

POUR LA GARNITURE
3 c. à s. de marmelade d'oranges amères
3 c. à s. de chocolat fondu
(voir page 44)
une poignée de pralins
4 cl de Grand Marnier

1. Préparer le chocolat fondu (voir page 44).

2. Réaliser une crêpe sucrée en vous reportant à la recette de base. Une fois cuite des deux côtés, beurrer la crêpe à l'aide d'un pinceau.

3. Plier la crêpe en deux.

4. La tartiner de marmelade d'oranges amères.

5. À l'aide d'une cuillère ou d'une poche à pâtisserie, réaliser des stries de chocolat fondu sur la crêpe, recouvrir avec l'autre moitié, puis saupoudrer de pralins.

6. Faire chauffer pendant quelques secondes 4 cl de rhum dans une petite casserole, puis le renverser sur la crêpe pour la faire flamber.

crêpe Suzette
krampouezh Suzette

POUR LES CRÊPES SUCRÉES
voir recette de base page 8

POUR LA GARNITURE
200 g de sucre
150 g de beurre demi-sel
le jus et le zeste finement râpé de 1 citron
le jus et le zeste finement râpé de 1 orange
4 c. à s. de Grand Marnier

1. Réaliser 3 crêpes sucrées en vous reportant à la recette de base. Une fois cuite des deux côtés, beurrer la crêpe à l'aide d'un pinceau.

2. Plier les crêpes en triangle et les garder au chaud.

3. Faire fondre le sucre semoule avec 1 c. à s. d'eau dans une casserole à feu doux. Quand le caramel est blond, incorporer le beurre demi-sel et remuer jusqu'à ce que le mélange soit homogène.

4. Incorporer les zestes de citron et d'orange au caramel, puis les jus de citron et d'orange et 2 c. à s. de Grand Marnier. Mélanger le tout.

5. Conserver cette préparation hors du feu, puis la verser sur les crêpes.

6. Faire flamber avec le reste de Grand Marnier. Servir aussitôt.

crêpe aux fruits rouges
krampouezh frouezh ruz

POUR LA CRÊPE SUCRÉE
voir recette de base page 8

POUR LA GARNITURE
3 c. à s. de confiture de fraises,
de framboises ou de fruits rouges
3 c. à s. de mascarpone
des fraises, des framboises
ou un mélange de fruits rouges

1. Réaliser une crêpe sucrée en vous reportant à la recette de base. Une fois cuite des deux côtés, beurrer la crêpe à l'aide d'un pinceau.

2. La tartiner de confiture.

3. Déposer une couche de mascarpone à l'aide d'une cuillère à soupe, puis parsemer des fraises en morceaux, des framboises ou des fruits rouges.

4. Réaliser un pliage simple « en enveloppe » : replier chaque bord de la crêpe vers le centre, de sorte que le milieu soit apparent.

crêpe pain d'épices-abricots
krampouezh bara-mel hag abrikez

POUR LA CRÊPE SUCRÉE
voir recette de base page 8

POUR LA GARNITURE
2 tranches de pain d'épices
1 abricot
1 c. à s. de miel
3 c. à s. de fromage blanc
30 g de beurre demi-sel

1. Réaliser une crêpe sucrée en vous reportant à la recette de base. Une fois cuite des deux côtés, beurrer la crêpe à l'aide d'un pinceau.

2. Plier la crêpe en deux.

3. La saupoudrer de pain d'épices émietté.

4. Faire revenir l'abricot à la poêle dans le beurre jusqu'à ce que les morceaux prennent une jolie couleur dorée.

5. Disposer ensuite les morceaux d'abricots rissolés sur la crêpe et recouvrir avec l'autre moitié, puis tartiner de miel et de fromage blanc.

gâteau de crêpes poires-chocolat
gwastell krampouezh per–chokolad

POUR LES CRÊPES SUCRÉES
voir recette de base page 8

POUR LA GARNITURE
2 tablettes de chocolat fondu
(voir page 44)
5 poires découpées en fines tanches

1. Préparer le chocolat fondu (voir page 44).

2. Réaliser 10 petites crêpes (pas trop fines) en vous reportant à la recette de base. Une fois cuites des deux côtés, les beurrer à l'aide d'un pinceau et les réserver sur une assiette en attente de montage.

3. Poser une galette sur le plat de service et étaler une couche de chocolat de 0,5 centimètre d'épaisseur environ, puis recouvrir de quartiers de poire découpés en fines tranches. Déposer une autre crêpe et recommencer.

4. Poursuivre avec les autres galettes.

5. Terminer en posant la dernière galette. Laisser reposer au frais.

6. Avant de servir, étaler une couche de chocolat et une couche de poires pour le décor.

9 idées de p'tits roulés sucrés
9 seurt rolladoù bihan dous

Réaliser 4 crêpes de froment en vous reportant à la recette de base.
Une fois cuites des deux côtés, beurrer les crêpes à l'aide d'un pinceau
et les réserver sur une assiette en attente de montage.
Poser une crêpe sur une planche, tartiner, rouler et piquer tout ce que vous voulez…

CARAMEL AU BEURRE SALÉ-CLÉMENTINES-CHANTILLY
16 c. à s. de caramel au beurre salé
32 quartiers de clémentines
de la chantilly
Étaler une fine couche de caramel au beurre salé
sur chaque crêpe. Piquer des quartiers
de clémentines. Ajouter de la chantilly.

COMPOTE DE POMMES-POMMES
200 g de compote de pommes
4 pommes coupées en morceaux
Étaler une fine couche de compote de pommes
sur chaque crêpe. Piquer des morceaux de pomme.

CRÈME DE MARRON-FIGUES SÈCHES
150 g de crème de marron
32 petites figues sèches
Étaler une fine couche de crème de marron
sur chaque crêpe. Piquer des figues sèches.

CONFITURE DE FRAISES-FRAISES
150 g de confiture de fraises
32 petites fraises
Étaler une fine couche
de confiture sur chaque crêpe.
Piquer des fraises.

CHOCOLAT FONDU-PRALINS
8 c. à s. de chocolat fondu (voir page 44)
des pralins
Étaler une fine couche
de chocolat fondu sur chaque crêpe.
Saupoudrer de pralins.

SUCRE-CITRON
150 g de sucre
le jus de 2 citrons
Saupoudrer une fine couche
de sucre sur chaque crêpe.
Verser le jus de ½ citron sur le sucre.

pancakes pour changer
pancake evit cheñch

POUR LES PANCAKES NATURE
250 g de farine de froment
1 sachet de levure de boulanger
1 l de lait
4 œufs
6 c. à s. de crème fraîche
ou de crème liquide
2 c. à s. de sucre

POUR LA GARNITURE
1 poignée de myrtilles
1 poignée de pépites de chocolat
1 poignée de petits morceaux de pommes
quelques noix concassées

1. Mélanger la farine, la levure et le sucre dans un saladier et y creuser un puits.

2. Dans un autre récipient, mélanger les jaunes d'œufs (réserver les blancs), le lait et la crème fraîche, fouetter légèrement.

3. Verser ce mélange au centre du saladier contenant les ingrédients secs en mélangeant doucement.

4. Couvrir d'un film alimentaire et laisser reposer au moins 1 h dans un endroit chaud, à l'abri des courants d'air.

5. Monter les blancs en neige assez souple et les incorporer délicatement à la préparation. Laisser reposer à nouveau 30 minutes.

6. Faire fondre un peu de beurre dans une poêle de petit diamètre et verser doucement une louche de pâte sur 0,5 centimètre d'épaisseur environ. Laisser cuire à feu doux quelques minutes.

7. Déposer les ingrédients souhaités (myrtilles, pépites de chocolat, petits morceaux de pommes).

8. Lorsque la surface du pancake est sèche, le retourner à l'aide d'une spatule et cuire l'autre côté. Attention avec les pépites de chocolat, en retournant le pancake, car elles fondent très vite.

shopping

Planche en bois : Muji
47, rue des Francs-bourgeois
75004 Paris
01 49 96 41 41

Assiettes blanches et coupelles
porcelaine fine bone china : CFOC
170, bd Haussmann 75008 Paris
01 53 53 40 80

Verres, couverts, assiettes
transparente, assiettte grise : Ikéa
www.Ikea.com

Plateau en bois foncé : Habitat
30, bd des Capucines 75009 Paris
01 42 68 12 75

Merci à Saïd et à Salihou.
Merci à la crêprie contemporaine, 59 rue Saint Charles 75015 Paris.

Pour Hachette Livre, le principe est d'utiliser des papiers composés de fibres naturelles,
renouvelables, recyclables et fabriquées à partir de bois issus de orêts qui adoptent
un système d'aménagement durable.
En outre, Hachette Livre attend de ses fournisseurs de papier qu'ils s'inscrivent
dans une démarche de certification environnementale reconnue.

© Hachette Livre - Marabout 2008
Dépôt légal : Décembre 2011
ISBN : 978-2-501-06001-1
40.1761.2 / 05
Imprimé en Espagne par Graficas Estella